어쩌면 엄마보다 더 먼저 어른이 되었다.

리시아

지은이 리 시아
발 행 2023년 08월 04일
펴낸이 한건희
펴낸곳 주식회사 부크크
출판사등록 2014.07.15.(제2014-16호)
주 소 서울특별시 금천구 가산디지털1로 119 SK트윈타
위 A동 305호
전 화 1670-8316
이메일 info@bookk.co.kr

ISBN 979-11-410-3842-7

www.bookk.co.kr

어쩌면 엄마보다 더 먼저 어른이 되었다.

CONTENT

1장. 나의 유년 시절과 학창 시절

나는
태어나고부터 어쩌면 불행한 운명이었을지도 모르겠다.
내가 태어나기 전 우리 엄마는 뱃속에 아기를 2번이나
낙태하고 나를 낳았다고 들었다.
이 얘기만 들어보면 난 참 복받은 사람인 줄 알 것이다.
하지만 나는 태어나 3개월 이후 부모님은 이혼하셨다.
그리곤 나를 외할머니가 계신 미국에 입양을 보내려
했지만 가족끼리의 입양은 안된다며 나를 다시 한국에
계신 고모할머니께 맡겼다고 한다.
사실상 내 기억에는 7살부터의 고모할머니와 한국에서
살던 기억 밖에 나지 않는다.
내 기억에서는 매일 찬장에 붙어있는 엄마 사진을 보며
이 사람은 누구냐는 질문과 보고 싶다는 말만 되뇌었던
것 같다.
당시 내 나이는 7살이었고 할머니께서는 엄마를 만나러
가자며 큰엄마 집으로 보내셨다. 난 울부 짖으며
"할머니 가지마..." 만 외쳤다.
큰엄마 집에서 산지 한 달째 되던 어느 날은 갑자기
정신 병원에 갔다.
내가 'ADHD' 라면서말이다.
그렇게 나는7살부터 지금까지 16년째 필요할 때마다
정신과 약을 복용하고 있다.
내가 8살이되기까지 반 년이 남았던 어느 날은
큰아빠는 더 큰 집으로 이사를 간다고 하셨다. 그냥

마냥 신이 나면서도 두려웠다.
엄청 큰 집에 장난감도 많다는 말에 너무 좋았지만
직감적으로 그곳을 떠나야 하는 것을 알았었던 것
같기도 하다.
도착하고 보니 친구들이 많았고 미끄럼틀도 있었다.
친구들은 전혀 나를 반겨주지 않았고 내가 사용할 방의
문도 잠그고 열어주지도 않았었다. 쉼터에 어떤 언니가
잠긴 문을 따며 나를 도와줬고 난 그 언니가 너무
멋있어 보였다. 그 날도 나는 큰 엄마가 가신다는 말에
또 미친 듯 "큰엄마 가지마.." 하며 울었다. 그때는
내 애착 대상이 큰엄마였었는지 큰아빠에게는 크게
관심이 없다.
아무리 울어도 큰엄마와 큰아빠는 잘 부탁드린다는 말과
함께 뒤도 돌지 않으시고 가버리셨다.
몇주가 지나고 나도 서서히 그 곳에 적응하기 시작했다.
샤워도 다같이 하고 짜여진 스케줄에 맞게 생활 하며
지내고 있었지만 내가 시설 내에서 왕따를 당하고
있다는 사실은 나중에서야 깨달았다.
쉼터에 있던 같은 방 언니들과 친구들은 내가 마음에
들지 않았는지 어떤 날에는 이불장에 나를 가두고 못
나오게 했고 어떤 날을 내 간식까지 다 먹어버렸다.
하루 하루 혼자만의 시간이 길었고 공허하고 허전함
그리고 외로움에 갇혀 있지만 애써 밝은 척하며 지내
왔던 것 같다.
그렇게 사계절 중 봄, 여름, 가을이 지나고 겨울이
되었고 하늘에서는 눈이 내렸다.
눈이 내리는 것이 너무나도 신기했던 나는 창문 위로
올라가 눈을 만지다가 깜박 잠에 들어버렸고
졸다가 창문에서 떨어진 줄도 모르고 잠을 자며
큰엄마를 찾으며 울고 있는 나를 어떤 오빠가 구해줬다.
같은 방을 쓰는 그 멋있는 언니와 친해졌고 그 언니에게
물어봤다. "언니 근데 나 예전부터 궁금했는데

여기는"여기는 뭐 하는 곳이야?" 그러자 언니는 "아직도 몰랐어?여기 쉼터야. 네가 갈 보육원이 정해지면 여기서나가. 여기서는 딱 6개월만 살 수 있어." 무슨 말인지는 몰랐지만 느낌으로는 좋은 말은 아닌 것 같아서 혼돈이 아주 잠깐 있었다.
그렇게 나는 그곳에서 유치원도 가지 않고 시설 내에서만 생활하면서 세상 밖을 6개월 가까이 나가지 못했고 그렇게 거의 6개월이 지나고 드디어 쉼터 밖으로 나오게 되었다.
눈앞에는 '** 사회복지관' 이라고 적혀 있는 보육원이 있었다.정말 신기한 건 나를 도와주었던 그 멋있는 언니와 함께 말이다. 도착한 보육원은 엄청 컸다. 애들도 쉼터보다 훨씬 많았다.시설 내에 스피커 넘어서는 잔잔한 피아노곡들이 나오고 있었다. 그때 내가 들은 노래는 '아드린느를 위한 발라드' 라는 곡이었다. 바로 앞에는 피아노가 있었고 나는 선생님께 피아노를 쳐봐도 되냐고 물었고 쳐봐도 괜찮다는 말에 스피커에서 흘러나오는 곡을 아무 생각 없이 쳤었던 것 같다.
그렇게 피아노에 몰두하던 나는 방이 배정되었다는 말에 어색한 모습으로 짐 정리를 선생님과 같이하러 갔다. 시간이 조금 지나가며 그곳에서도 적응해가는 듯 했다. 보육원에 계신 선생님을 이모라 불렀고 원장님을 원장 엄마라고 불렀다. 별명도 있었다. '울보'였다.내가 울 때면 이모는 나를 컴컴한 옥상 계단에 끌고 가서서 다 울고 내려오라고 항상 그러셨다. 내가 뭔가를 잘못 하거나 어떤 친구나 동생과 싸우면 그 친구를 잘해주는 언니들이 나를 불렀고 언니들 방에 들어가자마자 무릎을 꿇고 손은 무릎에 붙여 앉아야 했다.
언니들이 혼을 내고 나면 두꺼운 책을 들고 투명 의자
자세를 하거나 빗자루가 부서질 때까지 맞기도 했다.
아파서 손바닥을 구부리면 "손 펴! 손가락 부러진다."
라는 말이 너무 무서워 자동으로 손을 펴게 되었던
기억도 많은 편인 것 같다.
편식할 때면 언니들이 와서 억지로
입에 꾸역꾸역 넣었다.
울면서 밥을 먹었을 때도 한두 번이 아니다.
그래도 나는 그 생활이 마냥 나쁘진 않았다고
생각했었던 것 같다. 또래 친구들과 놀이터에서 놀고
함께 할 수 있어서 좋았다. 내 편이 되어주는 친구도
있어서 외롭지 않았었다.
어느 날은 시설 내에서 외출을 다녀오고 나서 신발장에
신발을 정리 하려는데 원장엄마가 나를 원장실에
부르셨다.
원장실에는 모르는 아줌마와 할머니들이 계셨다.
순간 당황해서 토끼 눈을 해버렸다.
원장 엄마는 벙쩌 있는 내게 "시아 엄마야"
라고 하셨고 나는 '엄마?' 하는 의문이 들었다.
내 앞에 부모님이 나타날 거라곤 상상조차 하지 못했기
때문이다. 엄마는 내게 "시아야 엄마야.. 엄마가 너무
늦었지? 미안해.지냈어?" 라는 말과 함께 할머니들과
엄마는 나를 엎고 무척 반가워하고 미안해 하셨다.
그렇게 몇 개월 동안 엄마는 매일 찾아왔고 초등학교
입학식 전 엄마와 할머니는 입학식 때 입을 옷을
사오셨다. 빨간색 체크무늬 교복이었다.
드디어 3월 3일 입학식이 되었다.

나는 그 옷을 무척이나 좋아했고 내가 제일 아끼는 옷이
되었다. 매일 그 옷만 입고 등교 할 정도로
애착을 가졌었다.
매일 오시던 엄마는 일주일에 한 번씩 오시다가 다른
아이들을 생각해 방문을 자제 해달라는 이모 말씀에 한
달에 한번 일 년에 한번 점차 나를 보러 오는 날은 줄어
들었다. 나는 소심하고 표현도 잘 못하는 나머지 엄마가
사랑한다고 말하면 나는 질색하듯 도망갔다.
보육원 동생 중에 우리 엄마를 이모라고 칭하며 안기고
같이 놀던 동생이 있었다.
표현도 못하고 소심한 나는 질투가 나서
"내 엄마야 비켜" 라고 하며 밀쳤다.
엄마는 왜 밀치냐며 되려 나를 혼을 내셨다.
동생을 밀면 안 된다면서 말이다.
동생과 우리 엄마의 그런 모습이 나는 우리 엄마를
다른 사람에게 뺏기는듯 했었다.
그때부터는 엄마와의 외출에선 절대로 혼자 가지 않았고
보육원 친구 한 명씩은 꼭 데리고 갔었다.
세월이 멈추지 않고 자꾸만 흘러갔다.
초등학교 1학년과 2학년을 별탈 없이 마치고
금방 나는 초등학교 3학년이 되었다.
3학년 같은 반 친구중에
지적 장애를 안고 있는 친구가 있었다.
내가 그 친구를 도와주는걸 알고 계신 어머님은 내게
지적 장애 친구가 나이는 비록 10살일지라도
지능은 7살에 멈춰 있다고 설명도 해주셨었다.
매달 짝을 바꿀때면 친구들은 그 장애인 친구와 같이
앉기 싫다며 질색하면서 선생님께 항의를 하곤 했다.

그럴 때마다 내가 괜히 마음이 불편했다.
그 친구는 항상 웃고 있어도 속으로는 울고 있을 듯
했으며 나는 자리에서 손을 번쩍 들고는 1년 동안
이 친구와 짝궁 할 테니
짝 바꾸지 말아 달라고 선생님께 말씀드렸다.
선생님은 잘 도와주라며 우리의
자리를 맨 뒷자리에 배치 해주셨다.
그렇게 난 1년 동안 그 친구와 짝을 하며
그 친구에 대한 많은 것을 도왔다.
그러자 친구들은 장애인 친구를 좋아하냐며
쉬는 시간마다 놀리기도 했고 점점 시간이 지나면
지나갈수록 더 심하게 괴롭혀 왔다.
정말 학교에 가는 게 너무도 싫어질 지경까지 갔었다.
우유 급식이 나오는 2교시 쉬는 시간엔 화장실을 갔다
반으로 돌아가는 복도 사방에서는 우유를 던졌왔고 점심
당번이 되어 식판이 담겨 있는급식 박스를 급식
엘리베이터에 가져다 놓을 때면 친구들은 나보고
죽으라며 급식 엘리베이터에 밀어 넣기도 했다.
등교 할 시간이 되면 학교에 가기 싫다며 보육원
이모들께 투정도 부려 보았지만 이모와 그 이야기를
들은 언니들은 죽어도 학교 가서 죽으라며
반드시 학교에 보냈었다.
학교에 가면 담임 선생님은 항상 아침조회 시간에시
두편씩 쓰게하셨고 나는 그때부터 글을 쓰며 하루
하루를 버티기 시작했었던 것 같다.
글을 쓰다 보니 내가 왜 이런 취급을 당해야 하는지
생각 해보는 계기가 되기도 했다.
다음 날 어김없이 급식 엘리베이터에 떨어져 죽으라는

친구들에게 그 자리에서 무릎을 꿇고
어떻게 하면 나와도 놀아줄거고
다시는 괴롭히지 않을 것인지 물었다.
친구들의 대답은 상당히 단순했다.
욕설을 하라고 했고 그때부터 나는 친구들에게 욕설을
배우고 무섭거나 겁이 날 때마다 욕설을 했다.
그게 내게는 방패 같은 거라고 받아들여졌기 때문이다.
한번은 학교 수업을 마치고 집으로 돌아가는 길에
이상한 아저씨가 술에 잔뜩 취하셔서 자신의 성기를
보여주며 길을 걷는데 순간 그 상황이 너무 무서워서
"아 18 오늘 하늘 존* 맑네"하며 문장에 욕설
담아 말하면서 집에 간 적도 있었다.
그렇다 보니 나는 내 감정을 제어 하지 않고
마구 표출했고 그 이후 보육원에서는
문제아가 되어 있었다.
쉽게 말해 막 나가기 시작했다.
울기보다는 소리를 지르며 화를 내고 심하게는 칼을
들고 소리를 지르거나 자살이나 가출한다고
협박하기 시작했다.
매사에 모든 감정엔 분노로 표현했다.
그때는 내가 울어도 또 말로 설명해도 그 안에 있는
그 누구도 내 이야기를 들어주지 않았고
오히려 매를 맞거나 혼을 내거나 둘중 하나였다.
우리는 잠을 9시면 들어가 자야했고
그 시간에 잠이 오지 않아 자지 않고 떠들면
제일 나이가 많은 언니가 대표로
나무 빗자루가 부셔질 때까지 맞았고
그렇게 맞고 울고 겁을 잔뜩 먹은채 잠을 잤다.

그런 것들에 대해 한마디도 반박 할 수 없었고 심하게는
보육원 이모가 창고로 끌고가 무지개 빗자루로
마구 때렸고 소리 지르거나
"엄마한테 이를거예요!!"하며 반박하면
"어차피 너넨 부모도 없잖아.
이를 곳 없는게 왜 말을 안들어."
하시며 맞아야만 했다.
문제집을 풀다가 모르는 문제가 나와 답안지를 보면
답안지를 뺏어 머리를 내려 치기도 했다.
그게 늘 내 일상이였고 그렇게 버티고 견뎌다 보니
어느새 초등학교 4학년이 되었다.
4학년이 되어 3학년 때와 달리 친구도 생겼다.
그 친구도 어려운 사람들을 돕는 것을 좋아했다.
어김없이 나는 공부도 안하고 욕설과 옳지 않은
행동들을 하며 일진처럼 학교 생활을 했다.
또 장애인의 대한 선심이 많은 사람도
아니게 되었던 것 같다.
나는 그 친구와 많이 가까워졌으며 그 친구도
학교 친구들에게 따돌림을 당하는게 힘들었던
나머지 전학을 가기로 했다.
그렇게 나는 4학년 2학기를 혼자 보냈고
겨울 방학이 되자 시설이 너무 오래 된 보육원은
이전를 하기로 했고 보육원 이모는 우리에게
전학 가고 싶은 사람은 전학을 가도 된다고 하셨다.
학교 생활이 그래도 힘들었던 나는 먼저 전학을
간 친구를 따라 5학년 1학기에 전학을 가기로 했다.
나는 여전히 똑같이 욕설과 옳지 않은 행동을
일삼는 사람이 되어있었다.

한 가지 달라진 점은 공부를 다시 시작했다는 것이었다.
또 친구들도 많이 생겼다.
전 학교와 다르게 일진처럼 구니까 친구들은 더 이상
나를 괴롭히지 않았고 오히려 무리의 끼워주었다.
그렇게 5학년과 6학년도 별 탈 없이 마치고
중학교를 진학하게 되었다.
두려움 반과 설레임 반이였었다.
얼떨결에 입학식 때 친구도 많이 생겨서 사소한
다툼은 잦았었지만 그래도
중학교 2학년 1학기까지는 그나마 평범했다.
초등학교 6학년을 마지막으로 엄마는
더이상 오지 않았으며 보육원 원장님도 바뀌고
호칭도 원장 엄마가 아닌 원장님으로 바뀌었다.
전학을 가서 부터 불량한 친구들과 다닌
나는 자연스럽게 일진 무리들과
무리지어 다니고 있었다.
중학교에 올라가 초반엔 공부도 하며
나름 성실히 학교 생활을 하였고 기말고사가 끝나고
난 후 부터는 공부도 하지 않는
불성실한 청소년이 되어 있었다.
어쩌면 중학교 2학년 1학기때 있었던
억울한 사건만 아니였다면
정말 평범한 학교 생활을 했을지도 모르겠다.
그 날은 중학교 2학년 1학기 영어 시간이었다.
영어는 성적 별로 나누어 수업을 했고
당연히 공부를 안했으니 상, 중(中),하(下)중에
'하(下)' 반이였고 수업 시간엔
잠만 자는 불성실한 학생이었다.

그 날 수업은 영단어 외우고 시험 보는 것이었는데
내 옆에 앉은 다른 일진 친구들이 이유없이
내 머리카락을 뽑기 시작했다.
따가워서깨고 누구냐며 뭐라고 하면
"난 아닌데?ㅋㅋㅋㅋ"하면서 비웃었다.
그 친구들은 1학년때 친하게 지내던
친구들이었지만 2학년이 되면서
나는 그 무리에서 떨궈졌었다.
내 친구도 마찬가지였다.
그래도 나는 선생님께 말씀 드렸고 수업이 끝나는 종이
울리자마자 내 친구에게 수업시간에 있던
이야기를 말하였다.
친구는 그 일진 친구랑 같은 반이었고 다음 수업 시간은
체육이였기에 체육관을 빙빙 돌며 털어놓던 와중 같은
공간에 있던 남학생이 그 이야기를 "체육관에서 시아랑
시아 친구가 너네 엄마 창*이라던데?" 라며 입에
담기도 힘든 말로 왜곡하여 일진 친구에게
이간질을 했다.
그리고 그 날 저녁 SNS에는 그 일진 친구들이 내
친구를 저격하는 글과 함께 "너도 그 자리에 있었다며
말 좀 해봐" 라며 날 그 게시글에 태그 했다.
그리고는 그 친구를 포함한 여러 명 일진 친구들은 내게
욕설을 퍼붓기 시작했다.
"너희 엄마 서울역에서 껌 팔잖아. 나중에 너도 폐지
줍고 다니겠네?ㅋㅋㅋ 아 하긴 그러니까
고아지ㅋㅋㅋㅋ"라는 이야기가 주된 이야기였었다.
내겐 엄청난 상처였다.

이런 말을 들어도 아무 말도 못하고 답답해만 하는 나를
보던 동네에서 제일 일진으로 유명하던 보육원 언니가
대신 댓글을 달기 시작했고 그 날 그 언니는 캡쳐해서
선생님께 말씀드리라 했고 다음 날 나는 학교에 가서
나와 친구를 저격한 게시글을 캡쳐해 선생님께 말씀
드렸고 선생님은 일진 친구들을 다 불러왔지만 내가
가지고 있던 증거는 주요 내용인 욕설
댓글 캡쳐 본이 아니었다.
가해자 친구들이 가지고 있던 증거들은 내 아이디로
적혀진 욕설 댓글 캡쳐 본들을 선생님께 보여주면서
눈물을 마구 쏟았으며 선생님은 내게 일을 크게 만들지
말자고 내 이야기도 들어 보지않으신 채로 얼른
사과하라고 하셨다.
어이가 없고 황당하며 억울 했으나 나는 일을 크게
만들고 싶지도 않았고 벌점을 준다는 선생님의 말씀에
하는 수없이 사과를 해야 했고 그 중 누구도 내 편이
되어 주지 않았기에 억울하고 분한 마음에 잘못도 없던
나는 어영부영 소리를 지르며
"미안해 **"하며 욕을 내뱉고는
교실 문을 쾅하고 열고는 학교
뒷문으로 무단이탈을 했다.
그때부터 눈에는 보이는 것도 없었고 세상에 내 편이
하나도 없다는 생각에 정말 많이
삐뚤어지기로 했던 것 같다.
다음 날 친구의 어머님은 내게 전화가 왔으며
친구 어머님은 "아줌마가 도와줄게. 학교 폭력 자치
위원회 열자." 하고 하시며 나를 설득하셨고
나는 그 아줌마의 말대로 하기로 결정하고

그 친구들을 학교에서 강제 전학을 보낼 생각으로
학교 폭력 자치 위원회를 열게 되었고
정말 어이 없게도 전부 가해자가 판결이 났다.
학교가 만들어진지 얼마 안되서인지 내 바람대로
강제 전학이라는 처벌은 절대로 사용 하지 않았고
모두 특별이수5일이라는 처분을 받았다.
솔직히 너무 억울했다.
나는 그렇게 입에 담기 힘든 욕을 한적도 없는데
나를 대변 해줄 보호자가 없다는 이유로 피해자에서
가해자가 되는건 상식적으로
누구에게나 억울한 일이 될 것이다.
그때의 나는 정말 많이 억울했고
바뀌지 않는 현실에 분노하였지만
그 분노를 표출 하지 못하고 받아드려야 했기에
내게는 또 하나에 상처가 되었고
어린 나이의 나는 그 상황을 넓고
큰 그릇으로 받아 드리기엔 한참 무리였다.
그래서 나는 그 억울함과 분노를 가지고 받아드린
결론이 부모님이 없으면 세상에서 어떤 억울한 일이
닥치던 나는 약자이며 약자는 부모가 있는 사람을
이기지 못할 뿐더러 부모가 있는 사람에게
공정성을 따지고 들며 반론을 하거나 반박을 할 경우
그것은 곧 정당화가 아니라 그들의 화를 더 돋궈
나에게 나쁜 결과를 초래한다는
사실로 아주 많이 나쁘게 받아 드려졌었다.
어쩌면 그 사실이 맞는 현실일지도 모르겠다.
아직까지는 모든 사람들은 공정성 보단 힘있는 자들의
말을 더 듣고 힘을 쓰는 사회이기도 하기 때문이다.

여전히 대한민국 10대들은 자기와 다르면
왕따를 당하는 것이 당연하고
한부모 가정이거나 고아원, 위탁시설 등에 거주하는
청소년이나 선천적으로 장애를 가지고 태어난 사람들을
비난하고 다른 인종처럼 여기며 따돌리고 괴롭히고
심하게는 피해자를 자살로 까지 밀어 붙이기도 한다.
나는 그것이 곧 내 현실이었고 내 삶이였다.
그 고통과 감정은 그 누구도 이해하고
공감할 수 없다는 것을 지금은 잘 알고 있지만
그때는 그냥 누구 한명만이라도 내 아픈 마음을
괴로운 감정과 억울한 가슴을 아무 말 안해도 좋으니
따스히 안아주길 바랬었다.
나에게 특별이수 5일은 나를 더 죄인처럼 만들었다.
매일 아침 그 교육 센터로 등교를 할 때면
'내가 잘못한 것도 없는데 왜 이래야 하지?
내가 부모 없고 싶어서 없던 것도 아니고
나를 괴롭히고 따돌린 애들은 따로 있는데 내가 왜
다 뒤집어 써야 하지? 부모님이 없으면 역시나 무시는
당연한거구나..' 하는 생각으로 한숨을 내뱉으며
그렇게 교육 센터로 등교 했다.
아무리 생각해도 억울했고 분노는 점점 쌓여만 갔다.
절대 사그라 들지 않았다.
그렇게 특별이수를 이행 하고 돌아오니 친구들은
내가 두 얼굴이라며 나랑 다니는 친구들이
전부 불쌍하다고 저런 애랑 다니면 부끄럽지 않냐면서
내 앞에서 대놓고 비아냥 거리며 욕을 하며 지나갔다.
나를 가해자로 만든 진짜 가해자인 친구가 미리 나를
좋지 않은 사람으로 전 교생에게 소문낸 덕분이었다.

복도를 지날때도 교실에서 수업을 받을 때도
그 학교에 모든 사람들은 나를 잘 알지도 못하면서
내가 평생 잊을 수 없는 상처들을 떠안겨 주었다.
그 날 이후 나와 친했던 친구들 마저 내가 쫓팔리다며
하나 둘씩 나를 떠나갔고 혼자가 되었다.
학교에 있는 시간 한시간
아니 단 일분이라도 괴로웠었던 나는
학교에 거의 등교 하지 않았다.
그렇게 정말 혼자가 되자
애써 괜찮은 척
하나도 아프지 않은 척
슬프지 않은 척
외롭지 않은 척을 하며
더 더욱 쓸쓸해져만 갔다.
그래서인지 나의 정신 병명들은 하나 둘 점점 늘어갔고
나의 일상엔 심리 상담과 심리 치료는
빠질 수 없는 항목이 되어 있었다.
매일을 우울증에 시달려 살았고
매일을 혼자 8시간을 울며 자해를 하기도 했다.
그때에 나는 내가 소중하다고 생각하지 않았다.
아니 어쩌면 소중해서 너무나도 내가 소중해서
그래서 나에게 생긴 이 상처들을 누가 좀
알아줬으면 해서 무슨 일이 생기면 나의 팔에
작은 쪽가위로 나를 아프게 했었는지도 모르겠다.
화가 나면 소리를 지르고 물건을 던지는 등
폭력적인 행동들은 점점 늘어갔고 정신과에선
내게 분노조절 장애라고 하셨다.

같은 숙소에서 지내는 동생들이 말을 듣지 않거나
할 일을 안해뒀다면 괜히 오지랖을 부려서
옛날에 언니들이 내게 했던 것처럼 혼을 내기도 했다.
길거리를 나갈 때면
모르는 사람이라도 나를 욕하는 것 같았고
나를 싫어하고 비난하며 비아냥대는 것 같았다.
그렇게 나는 피해의식과 대인기피증...
즉 편집증이라는 정신 질환을 방치된채
성인이 되어버렸다.
나의 그런 폭력성 때문에
많은 사회복지 실습자들이 그만두고
우리 보육원엔 생활 지도사가 부족한 상황이 되었고
그렇게 우리 숙소 담당 이모도 바뀌게 되었다.
여전히 나는 심한 폭력성을 띄었다.
새로 온 이모는 나의 폭력적인 모습들을 보았고
처음엔 다른 이모들과 똑같았다.
윽박을 지르며 그만하라고 소리를 지르고
화도 내시고 협박 아닌 협박도 하셨다.
그렇게 해도 나는 진정은 커녕 더 난동을 부리자
이모는 한참을 아무 말을 안하시다
내가 지쳐서 정도가 약해지자 딱 한마디를 하셨다.
"시아야, 이모는 너가 진정이 될 때까지 기다릴거야.
그러니 너도 조금 마음이 사그라들면 이모한테 와.
이모가 시아 얘기 들어줄게."하시고는
그 자리에 서서 나를 바라보시다 유유히 사라지셨다.
그렇게 진정을 하고 나는 쭈볏거리며 이모를 찾아갔다.
이모는 아무 일이 없던 것처럼 나에게 말했다.

"어? 시아 왔어? 여기 앉아봐!"
많이 무겁던 마음이 조금은 편안해졌다.
그렇게 이모는 내 양손을 꼭 잡고선 말씀 하셨다.
"아까는 무슨 일이 있었어? 이모한테 얘기해줄래?"
나는 눈물을 훔치며 왜 그랬었는지
무엇이 그렇게나 속상했었는지 하나씩 얘기했다.
내 이야기를 들은 이모는
그 표현들은 잘못된 표현 방법이라고
이해 하기 쉽게 설명 해주셨다.
다른 이모들은 내가 그런 행동이 보일때면
신경조차 쓰지 않았는데 나에게 그런 행동들은
잘못 되었으며 화가 난다고 무조건 소리를 지르거나
물건을 던지는 등 폭력성이 있는 행동이 올바르지 않은
행동인 것을 말해준 사람은 처음이었고
그래서 조금 당황스럽기도 했었다.
이후 나는 스스로 많이 노력하고 있다고 생각했지만
생각과 말처럼 모든 것들은 쉽지 않았다.
여전히 나는 폭력성을 보였고
한번은 정확히 무슨 일 때문이었는지는 기억나진 않지만
분노를 주체 할 수 없어서 나도 모르게
아무도 없는 빈방에서 쪽가위로 자해를 했다.
그 장면을 본 이모는 놀라셨는지 뭐하고 있냐고
물어 보시고는 당장 내려 놓으라고 하셨다.
나는 화가 너무나서 이성을 잃은 상태로
"뭐요. 가던 길 가세요."하며 퉁명스럽게 대답했다.
그러자 이모는 내려놓으라고 또다시 말씀 하셨고
나는 계속 이성을 잃은채로 대꾸했다.

그렇게 실랑이를 하다가 결국 이모는
"그럼 이모 팔에도 그어봐" 하셨다.
솔직히 많이 놀랐고 조금 망설였지만 진정도 안되었고
이성도 잃어서인지 정신 차리고 보니
이미 나는 이모 팔에 상처를 낸 상황이었다.
정신이 조금은 이성적여진 상태로 이모를 바라보았다.
이모는 표정 하나 바뀌지 않고 나를 쳐다보고 계셨다.
그렇게 1분쯤 지나고 이모는 정적을 뚫고
내게 딱 한마디를 하셨다.
"다 했어? 이제 좀 속이 시원해?"
그 말을 듣고 나의 이성은 완전히 돌아왔다.
그리고 뒤늦게 온갖 자책과 후회를
담은 오만가지 생각을 하면서 계속 떠오르는
죄송하다는 한마디가 차마 입 밖으로 나오지 않았다.
그런데도 불구하고 이모는 내 마음을 읽은듯이
괜찮다며 나를 품에 안으시고는 눈물을 흘리셨다.
그 날 이후 이모는 내가 낸 상처를
아무에도 말하지 않았고 더운 날씨에도
가디건을 걸치며 내가 낸 상처를 가리고 숨기셨다.
너무나도 죄송한 마음과 함께 많은 생각들은
끊임없이 들었고 고치고 싶은 내 폭력성은
내 마음대로 바뀌지 않아서 답답하고 짜증났지만
노력하지 않으면 바뀔 수 없다고 생각한 나머지
내가 할 수 있는한 끊임없이 노력했..
물론 그 노력을 알아준 사람은 없었다.

그래도 나는 스스로를 다독이고 위로하며
잘하고 있는 것이라고 믿고 노력했다.
내가 담을 수 있는 그릇이 너무 작았지만
그걸 착각해 무조건 다 할 수 있는 것이라고
어린 생각으로 판단하고 무작정
담아 버렸는지도 모르겠다.
나를 더 알고 더 지혜롭고 현명하게
살아가기 위해서는 글을 더 많이 쓰고
글을 더 많이 읽어야 한다고 생각했다.
그래서 나는 책을 조금씩 읽어 보기로 다짐했다.
긴글은 애초에보지 않았다.
내가 끝까지 읽을 수 있는 책을 선호했다.
예를 들면 나태주 시인의 시집이나
짧은 에세이 위주로 짧은 글의 책들만 보았고
매일 일기와 나만의 규칙,신년 계획,시를 적었다.
의식하고 적은 것보다는 떠오르는데로 적었다.
지치고 힘이 들때는 항상 시 한편이나
또 다른 나에게 편지를 썼다.
눈물을 머금고 앞이 보이지 않아도 글을 썼다.
나를 알기 위해서 쓰기 시작했지만
어쩌면 나의 많은 상처가 치유하고 계속해서
나를 알아가며 삶을 배워갔던 것들이
제일 컸을지도 모르겠다는 생각이 들기도 한다.
지금 내 책을 일고 있는 여러분들에게도 묻고싶다.

당신의 어린시절은 어떤 삶이었는가?
설령 당신의 어린시절에도 지울 수 없는
아픈 상처가 있다고 하더라도
이제 더이상 아프지 않았으면 좋겠다.
나는 '혼자'가 아직도 무섭고 싫다.
하지만 적어도 나는 과거에 머물며 살지 않는다.
어떤 사람이든 상처는 지울 수 없다.
한번 생긴 깊은 상처는 흉터가 남으니까..
그래서 우리는 잊었고 괜찮아졌다고 생각하는
그 상처가 다시 아리고 아파져 온다면
다시 또 힘들어 하기도 하는 것이다.
근데 우리는 한가지 정말 중요한 것을 기억하지 않았다.
완전히 지울 수 있는 마음의 상처는 없다.
반대로 생각하면 우리에겐 미래가 있고
그 미래에는 더욱 가치있고 행복한 삶으로
바꿀 수 있다는 얘기로 해석 할 수 있다.
그러니 우리 겁먹지 말고 같이 나아갔으면 좋겠다.
적어도 도망은 가지 말자.
과거는 돌아갈 수 없고 되돌릴 수도 없는 시간이다.
우리는 현재를 살아가고 있고 미래가 기다리고 있다.
과거는 바뀔수도 돌아갈수도 없지만
현재는 바꿀 수도 있고 미래를 결정할 수도 있다.
이제 더이상 과거에 연연할 필요가 없다는 것이다.
우리의 시간은 많이 흘렀고
그 시간이 흐르면서 우리의 환경은 많은 것이 바꼈고
그만큼 우리의 가치성은 바뀌지 않는다.
한마디로...
우리는 모두 소중한 사람들이니까.

2장. 고난의 시작 그리고 죽음의 절벽

중학교 2학년
이후 난 학교에 갈 시간에도
일부러 억지로 잠을 잤고 이모들은 나를 깨워서
학교에 보내려고 매일 아침마다 난리법석이었다.
어영부영 일어나서 입고 있던 체육복을 그대로 입고
온갖 짜증을 다 내면서 등교 시간이
한참이 지나서야 밖을 나서곤 했었다.
밖을 나가도 학교엔 절대 가기 싫었다.
그래서 아파트 단지 벤치에 누워 잠을 더 자곤 했다.
점심시간 종이 울리면 학교에 가서
점심을 먹고 다시 교문을 나섰다.
그러고는 자주 가는 병원에 가서
침대에 누워있으면 의사 선생님은
"시아 너 또 학교 안갔지!! 점심시간 까지만이다.
끝나면 다시 학교 가~ 아니면 보육원에 전화할거야!!"
나는 얼렁뚱땅 대답하곤 점심 시간이 끝나면
저금통에서 꺼내온 천오백원으로 카페 구석에 앉아
아이스티를 한잔으로 학교가 끝날 때까지
그곳에서 시간을 때우는 날들이 많았다.
돈이 없던 날은 아파트 벤치 구석에 앉아서
스마트 폰 게임을 하며 시간을 때우곤 했다.
내게는 항상 꿈과 행복이 존재했다.
그 모든 것들을 내려고 하루를 살아가는 것이 아닌

하루를 버티는 것이 되어가면서 내 인생은
끝이라고 생각하는 날들이 많았다.

그러던 어느 날 중학교 2학년 1학기쯤
더이상 엄마가 나를 만나러 오지 않은지
2년반쯤이 지난 어느날이었다.
누군가 내 앞으로 큰 택배를 보냈다.
미국에서 엄마가 보낸 택배였다.
엄마는 짐을 며칠을 걸쳐 보내왔다.
택배 상자 안에는
엄마의 추억,결혼 사진,옷과 신발들이 들어있었고
큰 택배 상자 안에서 나는 한장에 사진만 빤히 보았다.
엄마가 어릴적 나간 슈퍼모델 대회 참가 사진이었다.
나도 모델이 되고 싶어졌다.
이후 나는 모델이 되기 위해선 어떻게 해야 하는지
알아보기 시작했고 사진도 찍고 샤워를 하며 거울을
보고 표정 연습들을 하며 혼자 공부하기 시작했다.
처음에는 많이 어색했다.
그래도 나는 꼭 멋있는 모델이 되고 싶었다.
그렇게 조금은 내 인생이 밝아졌다.
여전히 학교 생활은 엉망이었지만
모델이 되기 위해서 많은 노력과 공부를 하고
작은 희망을 품고 살던 어느 날 저녁에
보육원으로 한 통에 전화가 걸려왔다.
엄마...
엄마의 전화를 받고는 갑자기 눈물이 맺혔다.
울먹거림을 참으며 엄마와의 통화를 이어갔고
엄마는 떨리는 목소리로 말했다.

엄마가 좀 많이 아팠다고..
그 말을 듣고 참고 있던 울먹거림이 새어나갔다.

엄마는 다시 한국을 떠나 호주로
돌아가야 한다며 함께 가자고 말했다.
나는 그러고 싶진 않다고 말했고
엄마는 그럼 얼굴 한번 보러 온다며 전화를 끊었다.
다음 날.
엄마는 나를 보러 왔고 2년반만에 만난
엄마는 살도 많이 빠지고 아파보였다.
엄마 가슴엔 X모양의 이상한 줄이 보였고
엄마가 그동안 나를 보러 오지 않았던
이유를 자세히 설명했다.
처음엔 거짓말인줄 알았다.
많이 아파서 올 수 없었던 사실이..
근데 정말 위암에 걸려서 수술을 받고
이제야 나를 만나러 올 수 있었던게 사실이었다.
하지만 여전히 우리 사이엔 어색함이 흘렀다.
엄마와 어색함을 뚫고 이야기를 나눴고
엄마는 그만 가봐야 한다고 했다.
마중을 나갔고 현관 앞에서
엄마는 마지막으로 내게 물었다.
"엄마랑 정말 같이 안갈거야?"
나는 고개만 끄덕였고 엄마는 내게 소리를 지르시곤
언제 돌아올지 모른다며 내 손에 만원을 쥐어주고
뒤도 돌아보지 않은채 유유히 떠나가셨다.
엄마의 뒷모습이 사라지자 그 자리에 앉아 울었다.
그 뒤로 나는 한번도 엄마를 볼 수 없었다.

2학년 2학기, 여전히 나는 학교 생활이 엉망이었다.
저녁 밥을 먹고 쉬는 시간을 즐기고 있던
내게 이모는 큰 아빠가 오신다며 준비하라고 하셨고
준비를 마치고 1층으로 내려가서
큰 아빠가 오기만을 기다리고 있었다.
10분쯤 지나고 사무실로
어떤 아저씨와 아줌마가 들어왔다.
내가 당황한 눈빛으로 바라보자
그 아저씨는 내게 "시아야..아빠야"라고 하셨다.
믿기지 않았다.
아니 믿기 싫었다.
그렇게 어안이 벙벙한채 상담실로 들어갔다.
아빠는 내 의자를 아빠 쪽으로 당기고는
손을 부여잡고 첫 마디를 꺼냈다.
"시아 잘지냈어? 새 엄마야.
아빠랑 새엄마랑 애기 낳을건데 괜찮지?"
지금 생각해도 어이가 없는 첫 마디였다.
그리고는 새엄마는 나한테 용돈을 매달 넣어주고 싶은데
어디로 넣으면 되는지 이모한테 물어보았고
이모는 따로 개별로 주는건 안된다며
후원금 통장에 매달 자동 이체로 보낼 수 있다고
안내를 하자 망설임도 없이 새엄마는 신청서를 작성하고
딱 한번 내 통장에 오만원이 들어오고는
쭉 소식없는 후원자명이었다.
새엄마는 나와 아빠가 가까워지도록 아빠와

함께 있는 자리를 계속해서 만들었다.
내키진 않았지만 몰래 용돈도 받고 필요한 것과
먹고 싶은 것들을 얻어 먹으며 연락을 이어갔다.
학교 생활이 지속적으로 엉망인 내가 걱정이 되셨는지
겨울 방학 전 담임 선생님이 교무실로 부르셨다.
교무실로 가니 선생님은 갑자기 내게 위로를 하셨다.
"시아야, 학교 생활 많이 힘들었지?
선생님이 미안해.
혹시 시아 내년에 3학년이 되면
같은 반 하고 싶은 친구 있어?"
나는 한 친구의 이름을 말했다.
그러자 선생님은
내년엔 그 친구랑 같은 반으로 붙여줄테니
학교 생활 조금만 성실히 해달라고 하셨다.
그렇게 한 귀로 듣고 한 귀로 흘리곤 교무실을 나갔다.
겨울 방학을 지나 3월..
개학 후 첫 등교를 해보니 정말 내가 말했던 친구와
같은 반으로 배정이 되어 있었고 선생님 퇴사 하셨다.
방학 전에 내게 했던 말과 반 배정은 아마도
작별 선물이었던 것 같다.
새 학기가 시작되고 두 달쯤이 지나고
이제는 2교시 수업부터는 출석 하기 시작했다.
물론 출석만 했다.
교과서나 필기구는 하나도 없이
몸만 가서 잠만 자며 출석만 지켰다.
그렇게 점점 나의 학교 생활이 나아졌다.
컨디션이 좋은 날은 수업도 듣고 수행 평가도 참여하며
열심히 하고 아무것도 하기 싫은 날은 여전히 잠만자며

그럭저럭 2학년 때보단 조금 나은 학교 생활이었다.
보육원 언니들 말대로 3학년은 엄청 빨리 지나갔다.
학교 생활이 조금씩 나아지다 보니 친구도 다시 생겼다.
그렇게 빠르게 지나가는 시간 덕분에
어느새 졸업 사진을 찍는 날이 다가왔고
나는 졸업 사진을 찍기 싫어서 옥상 계단으로
도망갔지만 선생님은 단체 졸업사진은 안찍어도
개인사진은 찍어야 한다며 나를 사진사
앞으로 데려다 놓았다.
결국 나는 굳은 표정으로 개인 사진을 찍었다.
사진을 찍고 정신을 차리고 보니
고등학교 원서 준비를 해야 했다.
이미 면접을 보고 원서 접수를 마친 친구들도 있었고
이미 고등학교가 배정된 친구들도 있었다.
그 중 나는 아무것도 준비가 되지 않았다.
출석도 엉망인데다 시험도 안쳐서 성적도 안나오고
수습할 수 없었으며 내 성적과 출결 상황으로는
갈 수 있는 고등학교는 없었다.
그걸 알고 있던 선생님은 애들이 모두 하교 후
조용히 나를 불러서 미용고를 추천해주셨다.
모델을 꿈꾸던 나는 예술고를 가고 싶었지만
내 성적과 출석으로는 턱없이 부족하다는 말에
나는 결국 미용고에 원서를 접수하고 면접을 보러 갔다.
합격자 발표날, 내게 합격 통보가 왔고
나도 고등학교를 간신히 진학할 수 있었다.
그렇게 나는 중학교를 졸업했다.

고등학생이 되고 나의 학교 생활은
달라질 수 있을 것이라고 생각했다.
하지만 고등학교도 똑같았다.
하필이면 여고라 피해의식은 배가 되어 나타나고
등교 첫 날 이미 친한 친구들은 정해져 있었다.
그렇게 나는 중학교 때와 똑같이
학교 생활에 적응 하지 못했다.
안가던 수련회도 가보며 나름 친구를 만들고
적응해보려고 노력도 해보았지만 쉽지 않았고
결국 중학교 때처럼 무단 조퇴,무단 결석을 하며
반성문을 쓰고 징계 위원회가 열릴 위기에 처했고
그렇게 나의 고등학교 생활도 엉망이 되었다.
결국 나는 전학을 가고 싶어졌고
이모와 선생님께 말씀드리고 전학을 알아보았다.
그런데 우리 학교는 전문학교라서 일반학교로 전학이
불가능했고 위탁도 할 수 없어서 방법은 자퇴를 하고
내년에 다시 입학하는 방법뿐이었다.
한가지 문제는 내가 자퇴를 하면 보육원에서
퇴소하던 조건에 맞는 보육원이나 쉼터에 가야했다.
10년동안 지내온 곳에서 나가야 한다는 사실에
한참동안 망설여졌다.
그렇게 망설이던 찰나 국장님은 내게 어떻게
할 것이냐며 이대로면 우리는 너를 다른 곳에 보내던
부모님 집에 보낼 수 밖에 없다는 말에 짜증나서 알아서
하라며 소리를 지르고 문을 박차고 나왔다.

'설마 다른 곳으로 보내겠어?'하며 반신반의 하던
어느날 숙소에서 이모는 나를 불렀고 같이 사무실에
내려가자며 나를 데리고 국장님께 갔다.
국장님은 상담실 책상 위에 있는 서류에 사인을 하라고
하셨고 설마 하던 일은 현실이 되어버렸다.
상담실 책상 위에 있던 서류는 이관 서류였고
직원 회의 끝에 나를 다른 보육원으로 보내기로
결정하고 시에 보고 후 결정이 되자 나를 부른 것이었고
나는 돌이킬 수 없는 상황이 되어서
마음이 많이 무거워졌다.
그렇게 나는 초 여름 10년을 생활한 그곳을 떠났다.
다른 보육원 생활은 꽤나 힘들었다.
아무래도 함께 성장한 사람들은 아니다 보니
은근히 나를 왕따 시키기도 했고 심하게 때리기도 했고
전자 기기나 돈이 될 것 같은
물건들을 훔쳐서 팔기도 했다.
나의 도움에도 그곳에 계신 어른들은 방관했고
괴로움이 한계치에 도달하자 나는 많은 자살 시도와
가출들을 하며 그 보육원이 망하기만을 기다렸다.
망하기는 커녕 나가는 족족 나를 찾아냈고
그렇게 나는 나가면 다시 잡혀 들어가곤 했다.
그것들이 너무 많이 반복되자 원장님은
나를 다른 쉼터에 보내준다고 거짓말을 하고
귀가하게 한 후 나를 아빠 집으로 보내셨다.
그렇게 나는 1년 조금 넘어서 또 보육원을
떠나 가정집으로 복귀했다.

조금은 나아질 줄 알았던 내 삶이 더 꼬이기 시작했고
가정 복귀 후 6개월이라는 시간동안 아동학대를 겪었다.
퇴소 후 처음엔 폭언과 잦은 부부싸움으로 힘들었고
얼마 후 이사한 뒤부턴 강금,폭행,폭언,추행,희롱,방치
안당한거 하나 없이 너무나도 괴로운 삶이었다.
매일 같이 눈치를 보고 매일 같이 죽고 싶었고
심지어는 씻는 것도 잘 못해서 한달에 한번 있는
마법의 날엔 생리대도 제대로 못갈고
엉덩이에 땀띠랑 짓물이 생길정도였다.
매일 같이 새엄마와 아빠는 술을 마시고
매일 같이 새엄마와 아빠는 폭력적이고
비정상적인 방법들로 부부 싸움을 했다.
도저히 버틸 수 없던 나는 보육원에서 퇴소할 때
가지고 온 정신과 약 30봉을 한번 먹고
죽으려 했지만 이틀 뒤 깨어났다.
그래서 나는 보육원에 전화했고
현재 상황을 말씀드리고 도움을 요청했다.
원장님은 내 상황을 듣고 아동보호전문기관에 연계했고
아동보호센터 선생님이 지속적으로 방문하자
새엄마는 짜증난다며 아빠만 상의하고 나를 내보내기로
결정했으며 방까지 다 알아보고 나에게 통보했다.
월세랑 생활비 지원해줄테니까 나가서 살라고..
그 많던 통보들 중에 나가라는 통보는 나쁘지 않았다.
사실 나도 이대로 살빠엔 나가서 사는게
훨씬 마음 편할 것 같아서 몇번 이야기 했었고
그때마다 안되다고 하다가 이제야 나가 살라고 하니
무조건 알겠다고 했다.

그렇게 나의 첫 자취가 시작되었다 .
자취 시작 후 3일이 지나고 새엄마와 아빠의 연락은
단절 되었고 나는 오로지 나의 힘으로만 살아야 했다.
제일 처음 나는 청소년 일자리 센터에 전화해서
상황을 말하고 일 좀 시켜달라고 사정했다.
그랬더니 그 센터 상담 선생님은 인근 복지관으로
연계하셨고 틈틈히 동사무소에 가서 도움을 요청하고
알바 자리를 알아보며 사정을 해보기도 했다.
그렇게 나는 작은 직원들과 알바를 구할 수 있었고
알바를 하면서도 돈이 부족했던 나머지
나는 건설 현장 보조나 전기 공사 보조, 상하차 같은
인력과 알바를 병행하며 돈을 벌었고
얼마 못가 몸이 아파지며 인력을 그만두고
알바만 다니게 되었다.
죽기 살기로 일만 하다보니 학교도 가지 못했고
그로인해 나는 고등학교에서 재적 처리가 되었다.
참 슬프게도 대한민국에선 미성년자가 혼자 힘으로
할 수 있는 것은 생각보다 아주 많이 한정적이었다.
무엇을 하던 모두 보호자 동의가 필요했고
드물게 사정을 설명하면 되는 것들이 있었다.
몸을 챙기지도 못했던터라 몸 상태는 좋지 않았고
알바 자리에서도 해고 당하며 모든게 너무 힘들어졌다.
월세도 계속 밀리고 모든 의지는 바닥이 되어
나는 폐인이 되어 있었고 술과 담배에 찌들어져 있었다.
그러게 다시 자살 계획을 하고 자살 시도를 했지만
원룸이라 집이 작은 탓에 천장에 달린
조그마한 분무기가 연탄의 연기를 인식하곤

사이렌과 함께 물을 뿜었고 나는 살았다.
무슨 짓을 해도 살아나니 죽을 용기로 속는셈치고
딱 한번만 살아보자는 생각으로
복지관 선생님께 연락했다.
동사무소도 계속 찾아가서 도움을 요청했다.
그렇게 밀린 월세 지원과 얼마 안되는 생활비를
지원 받을 수 있었고 식품 후원도 받았다.
그렇게 나는 버티고 견디며 살아왔다.
의도치 않게 다시 모델을 꿈꿀 수 있는 기회가 주어졌고
프로필 사진을 찍고 모델로 복귀했다.
그렇게 부족하지만 그래도 전보다 나은 삶을 살며
1년을 보내던 어느날, 하늘도 참 무심하시지..
이제 20살이 되고 보호자가 없어도 되는 시기가
찾아와서 이제는 더 열심히 잘 살아보자고
다짐하던 내게 암이 발견되었다.
그렇게 3년동안 쉬게되고 적게는 한달에 한번 많게는
세달에 한번씩 병원에 입원해서 입원치료 및 수술과
시술을 고민하며 계속해서 치료를 받았다.
3년동안 4번에 시한부 아닌 시한부 판정을 받았고
희망이란 보이지 않았던
나의 10대 후반에서 20대 초반이었다.
그래도 세상 밖을 나와 사회를 살아가다 보니
나를 위한 사람도 있다는 사실을 배웠다.
그래서 현재는 많이 평온해졌고 행복하다.
삶이라는건 하얀 도화지에 내가 원하는 삶을
그려 가는 과정이라고 생각한다.
내가 그리는 그 그림이 어떻게 그려지고
어떤 노력을 하고 어떤 경험을 하는지의 따라서

나의 감정도,생각도 달라지기도 한다.
여러분들이 그린 삶의 그림은 무슨 그림인가?
그 그림의 색은 무슨 색인가?
과거에 내가 그린 내 인생의 그림은
하얀 도화지에 새까만 물감들로 물들어 있었다.
마치 암 덩어리들 처럼 언제 죽어도
이상하지 않을 정도로 새까맸다.
하지만 지금은 꽃도 피고 해도 뜨고 나무도 자라며
알록달록한 어여쁜 그림들이 그려져 있다.
나도 얼마 살진 않았지만 삶이란건
내가 생각하기 나름이고 내가 나아가기 나름이더라.
내가 할 수 있다고 믿고 원하는 것을 위해 노력하고
내가 사랑하는 사람을 만나고
내가 하고 싶은 일을 찾고 경험을 쌓고..
이 모든 것들이 내가 생각하기 나름이고
내가 나아가기 나름이더라.
내가 하는 만큼 갖고 내가 원하는 만큼 노력하고 이루고
성공하고 성장하고 그렇게 넘어지고
일어서고를 반복하면서 하나씩 쌓아
가는것이 인생이더라.
그 모든건 내가 하는 것이더라.
어쩌면 나는 이 책을 나의 상처를 마주하고
다독이고 성장하기 위해서 쓰는 책인지도 모르겠다.
꿈이라는 것도, 세상을 살아가는 것도
내 인생을 설계하는 것도 모두 내가 세우는 것이다.
그러니 우리 포기 말고 한걸음만 더 나아가보자.
오늘 한걸음..
내일 한걸음..

모레 한걸음..

그것들을 잘 해쳐 나아가다 보면 반드시 나에게
행복감을 주는 무언가가 생기는 것은 사실인 것 같다.
그러니 내 책을 보고 있는 여러분들의 희망의 끈도
절대 놓지 않고 열심히 인생을 꾸려 갔으면 좋겠다.
여러분이 설계한 인생의 그림에서 당신은
지금 어느 방향으로 달려가고 있는가?
나는 아마도 산을 오르고 있는 것 같다.
아주 많이 가파른 산을 말이다.
거북이처럼 천천히 오르고 있지만 정상을 향해
끊임없이 오르는 중이다.
비록 폭우가 쏟아지고 비바람이 불고 싱크홀이 생겨도
꿋꿋히 이겨내 두걸음 헤쳐 나아가다가 보면
노력은 절대 배신 하지 않지 않을 것이다.

3장. 고통을 딛고 서다.

암 치료는 계속 되었다.
다시 모델로써 복귀도 하고 패션쇼와 촬영들을 하면서
이태리 패션모델 선발대회도 출전하고
대상 후보까지 오르며 나름 멋있는 패션모델이었다.
그렇게 치료를 병행하던 어느날 의사 선생님은
염증 수치도 너무 높고 암도 상태가 안좋아서
대학병원에 입원해야 한다고 하셨지만
돈도 보호자도 없었던 나는 제대로 된 치료도 못하고
또 다시 방치되었고 그렇게 몇주가 지나고
수치가 점점 높아진 탓에 급성 패혈증 위기가 찾아왔고
장기가 정상적으로 움직이지 않았다.
배가 너무 아파서 응급실을 찾아갔고
ct 촬영과 소변검사를 해야 했다.
소변 검사는 호스로 하고 ct는 침대에 누운채로
검사실에 가서 촬영하고 다시 자리로 가서
검사 결과를 기다리며 수액을 맞고 있었다.
얼마 후 의사 선생님이 입원을 해야 한다고 하셨고
나는 입원은 안된다며 귀가 처리해달라고 하고
외래 예약 후 수납을 하고 집으로 돌아갔다.
다음 날 외래 진료를 보았고 응급실에서
촬영한 사진에서 뜻밖에 결과를 발견했다.
급성 패혈증으로 인해 오른쪽 장이 말리고

신장도 제 기능을 못하게 되었다는 것이다.

그렇게 또 절망적인 결과를 듣고 집으로 돌아갔다.
그렇게 아둥바둥 사는건지 마는건지 모르게 시간만
버려가며 하루에 18시간에서 20시간 일하고 번 돈으로
병원에 다 쓰고 사는게 사는게 아니였던 어느 날..
내게 기적 같은 사람이 생겼다.
그 사람은 내게 정말 축복과 다름이 없는 사람이였다.
나는 계속 힘든 일생을 보내고 또 그런 일상 속에서
보호자도 없고 세상에 혼자 던져졌기에
혼자 감당 해야 하는 것도 정말 많았지만
무엇보다 아플때 보호자가 없다는 이유로 치료를
거부하는 일들도 많았었고 그냥 누군가
내 옆에 있어 줬으면 좋겠다고 생각하곤 했었다.
남들은 힘들고 지치고 아파도
늘 누군가가 존재하겠지 하는 생각도 많았었고
실제로 응급실에 같이 와주는 보호자들을 보면서
서러워서 눈물도 많이 흘렸었다.
너무 힘든데 이 마저도 난 혼자니까
그게 너무 가슴 아팠다.
늘 의사 선생님이나 간호사분들은 계속해서
보호자의 대해 물었고 나는 보호자가 없다는 말만
되뇌일 수 밖에 없던게 너무나도 서럽고 힘들었다.
그런 나날들에서 그는 내게 정말 세상에서 가장 찾기
어려운 보석 같은 그런 존재였다.

처음엔 그냥 단순히 누군가 내 옆에 있었음 좋겠다는
정말 단순한 마음뿐이었고 세상에서
나를 사랑하고 아껴주며 내 옆자리를 지켜줄 수 있는
사람은 없을 것이라고 믿고 살았어서 더욱
기대하지 않는 사항이었지만 그를 만나고
살면서 처음 느껴보는 감정들을 너무 많이 느꼈다.
내가 어떤 인생을 살아왔고 아직도 많이 힘들고
내가 많이 아프다는 사실을 모두 알고 있음에도
나와 끝까지 함께 해준다는 그의 말이
너무 감동적이고 고마웠다.
지금까지 만났던 모든 사람들과는 다르게
그는 나를 먼저 배려하고 생각해주었다.
이런 경험은 난생 처음이라
처음엔 많이 불안하기도 했었다.
시간이 지나면 지날수록 그는 나를 위해 자신을 위해
더 노력하고 내가 많이 부족함에도 이해하고 다독이고
잘 할 수 있다고 응원 해주는 사람이었고 내가
불안하다고 이야기 할 때마다 그는 내게
떠나지 않는다고 안심 시켜주고 나를 다독였다.
내가 부정적인 감정이 들때마다 날 포기 하는게 아닌
나의 그 부정적인 감정까지 감싸 안아줬던 사람이다.
살면서 처음 느껴보는 따뜻한 감정,행복한 감정
덕분에 정말 기적적으로 나의 건강 상태는
점점 정상치를 찾아갔다.

신장 이식도 할 필요 없어지고 암 세포도 난소 혹도
모든게 전부 정상치를 찾아가기 시작했고 조금만 더
치료하면 회복할 수 있을 것 같다는 소견을 들었다.
인간의 정신적인 부분은 아픈 것들을 치료하기도
악화 시키기도 하며 마음이 조금만 평화로와도
많은 것들이 달라진다는 사실을 배웠다.
어른들이 왜 화병으로 죽는다는 말을 하는지 알겠더라.
그렇게 몸도 마음도 불안정한 나는 그를 만나고 조금씩
안정을 찾아갔고 전보다 잠도 잘자고 불안함과
부정적인 감정들이 점차 나아지기 시작했다.
어쩌면 얼마 살지 않은 인생이지만
정말 많이 경험하고 체감하며 배움에 다행인 것 같다.
나의 과거는 정말 많이 힘들었기에
그때의 기억을 생각하면 가끔은 눈물이
맺히기도 하지만 그를 만나고 새 삶을 살아보겠다고
내 인생에도 이제는 빛이 보일테니 조금만 더
힘을 내보자고 다짐하고 또 다짐했다.
정말 솔직히 그 암흑 속에서
포기와 무너짐은 수도 없이 많이 해왔다.
살아도 사는게 아닌 그런 감정으로 죽지 못해
살아하니 숨만 붙이고 죽을 용기로
죽은 듯 산듯 살았던게 가장 컸었다.
내가 할 수 있는 것들의 제약도 정말 많았다.
가슴이 쓰리고 상처가 되는 상황과 말들도 많이 겪었다.
내 인생에선 잊을하면 생겨났다.
홀홀 털고 뒤돌아서면 생겨났다.
그런 내게 몇번에 시한부 판정에도
난 이겨내고 살아왔다.

마지막 시한부 판정때엔 솔직히 말해서
혼자서 다시 딛고 일어설 힘도 용기도 나지 않았다.
자신도 없었고 하기도 싫었다.

내 또래 친구들이 많이 부러웠다.
물론 그들도 그들만에 고충이 있겠지만 내가 알고 있는
내 또래 친구들은 고등학교를 졸업해서
대학 생활을 하며 하고 싶은 것, 먹고 싶은 것,
갖고 싶은 것들도 누려가며 정말 평범하게
살고 있을 것이고 아직까지 울타리가 있다는 사실은
내게는 부러운 요소가 될 수 밖에 없었다.
내가 그를 만나기 전까진 말이다.
나도 내가 원하는걸 하고 싶었지만
현실은 모든 것을 감당 해야 하는 요소들이 너무 많아서
내려놓지 못하고 혼자서라도 짊어지고 가야함에 힘이
많이 들었지만 지금은 그를 만나고
한결 가벼워진 마음으로 용기도 힘도 정말 많이 났다.
할 수 없다가 아니라 해보자라는 긍정적인
시그널을 받기 시작했고 이젠 세상에 그와 함께라면
더이상 무섭지도 겁이 나지도 않았다.
너무 버겁고 힘들어 혼자 대성통곡을 하며 눈물을
흘릴 일들도 사라졌고 좋은 것과 이쁜 것만 보여주는
그에게 나도 모르게 점점 빠져 들기 시작했다.
내가 반 이상을 포기한 인생도 꿈의 대한 끈들도
다시 잡았고 힘이 들어도 그를 생각하며
힘내는 날들이 늘어나기 시작했다.

그는 나를 긍정적이고 밝고 다시 일어설 수 있는
사람으로 만들었고 사랑을 받을수 없고
나를 위한 사람은 세상에 없다는 가치관도
완전히 바꿔놓았다.
절망속에서 정말 기적처럼 내 인생에 와준
그는 내게 축복이고 내 삶의
원동력이자 새로운 희망이다.
여러분에게도 잊지 못할 특별한 사람이 있는가?
만약 그런 사람이 존재한다면 익숙함의 속아 소중함을
잊지 말라는 얘기를 항상 기억했으면 좋겠다.

4장. 앞으로 나는

지금까지 살면서
내가 배운 세상은 불공평하고 공허했으며 야속했다.
세상 사람들은 인간관계를 형성할 때 자신의 이익만
생각하고 이익성이 사라진다면 다 쓴
휴지 조각처럼 인간관계를 정리 해버린다.
자본주의 세상에서 살아간다는 것은 생각보다
쉽지 않으며 때론 차별이 공정성이 되기도 한다.
우리 모두가 함께 공존하는 세상이 아니라
아직까진 능력이 있고 돈이 많은 사람들이 더 유리한
세상을 살아간다는 것이 대한민국에 현실이라는 점이다.
억울한 일을 당해도 내가 능력도 돈도 없다면 억울함을
호소하는 것은 반항에 그치고
쉬쉬하는 일들이 아직도 많이 있는 것 같다.
사실상 따져보면 그리 약한지도 모르겠다.
그냥 나이가 어렸을 뿐이고 보호 받지 못했을 뿐이고
삶이 남들보다 조금은 더 고통스럽고 힘들었을 뿐이다.
그런데 나는 그들과 다르다는 이유 하나로 편애하고
차별하고 심지어는 따돌림이 생기도 했다.
그 따돌림으로 인해서 죽음을 결심하기도 했다.
하지만 나는 정말 열심히 견디고 버티며
살아왔다고 자부할 수 있다.

썩은 동아줄이라도 어떻게든 붙잡고 버텨냈다.
안간힘을 쓰면서 말이다.
나중에 나이 들어서 남들 힘들때 나는 행복하려고
그래서 남들보다 조금 더 먼저 힘들고
괴로운 것뿐이라고 남들이 한 계단씩 올라갈때
나는 반 계단씩 올라가는 것 뿐이라고
스스로를 다독이며 견뎌왔다.
아니 어쩌면 마음이라도 편해지고 싶어서 생각한
스스로의 대한 자기 합리화일지도 모르겠다.
그게 합리화던 다독임이던 그게 무엇이 되었던
나에게는 그렇게라도 용기가 필요했다.
삶을 이끌어갈 힘이 필요했다.
어렸을때부터 나는 여러 번에 배신과 상처를
떠안아 가며 혼자 생활을 해왔다.
만 16세라는 나이에 오로지 모든 것들을
혼자 해결해야 하는 상황까지 겪어왔고 내가 할 수
있는건 버티기 위한 힘과 나를 믿는 신뢰가 전부였다.
물론 현재는 많은 것들이 바뀌고 많은 것들이
안정을 찾아가고 있지만 과거에 나는
믿을 수 있는 것이라곤 나라는 사람 뿐이었으니까..
그렇게 세상을 살아오며 그를 만나고 안정되어 가다보니
안보이던 세상에 것들이 보이기 시작했다.
나 같은 사람들..
나 같은 사람들이라함은 그냥 안타까운 사람들이다.
그 사람들을 보며 한편으론 내가 버텨낸게
진짜 대단한 일임을 깨달을 때도 있지만
적어도 그 사람들에게 작은 용기라도 줄 수 있었다면..
작은 희망이라도 안겨줄 수 있었다면...

그랬다면 결과는 덜 절망적이었을까 하는 생각도 든다.
그래서 생각했다.
만약 너무 힘든 삶의 기류에 놓여있다면
믿어라. 스스로를..
그리고 기억했으면 좋겠다.
'이또한 지나가리라'
모든 것은 시간이 흐르면 지나가게 되어있다.
당장에 힘듬이 언제까지 갈 것이라고 확신하고
장담할 수 없지만 이또한 앞으로 나아가다보면
아주 조금이라도 나아지고 있는 현실을 마주할 것이다.
적어도 내가 살아온 세상은 내게 그렇게 보여줬다.
세상을 살아가고 스스로 이끌어 세상을 나아가려면
아주 강한 마음가짐과 끈기가 있어야 한다.
모든것을 다 잘하는 사람은 존재하지 않는다.
우리는 인간이기 때문에 처음부터 다 잘할 수는 없다.
그래도 스스로를 믿어라.
스스로의 가능성을 믿어라.
그게 무엇이든.
때로는 이기적이어도 좋다.
무너지는 것도 나쁘지 않은 방법이다.
단, 무너지고 주저 앉더라도 더 오래 버틸 수 있는
힘을 기를 자신이 있다면 무너져도 좋다.
이 말은 즉슨 내가 내 인생을 더욱 잘 이끌어 가기
위해서 너무 많이 지친 나를 위해
'쉼'이라는 에너지를 충전한다는 얘기다.
만약 주저 앉아서 다시는 일어설 수 없다고 확신한다면
혹시나 이 인생을 더이상 이끌어갈 생각이 없다면
일어서지 않아도 좋다.

이랬다 저랬다 무슨말 하는지 모르겠다고
생각하고 있겠지만 간단히 정리하면 스스로의 인생의
빛을 보고 싶다면 어떻게든 견뎌내야 한다는 얘기다.
성공한 자들중 낙담하고 무너지지 않은 사람은
단 한명도 없다.
그 말은 즉슨 성공도 무너져 본 사람만이 하는 것이고
다시 일어서는 힘을 아는 자들이 하는 것이라는 얘기다.
무너질 줄도 알아야 하고
다시 일어설 줄도 알아야 된다.
인생의 모든 시간은 공부다.
우리가 인생을 살아가면서 죽을때까지 경험하고
무너지고 일어서고를 반복하면서 많은 것들을 배우고
깨닫고 그것들의 경험치는 쌓이고 추후 그 경험치는
나의 가치가 되고 나의 성공이 되어 나의 힘들었던
생각만해도 괴로웠던 시간들을
행복과 성공으로 돌려주기 때문이다.
그렇기에 사람들이 나의 가능성을 부정하고 비판하며
상처를 줘도 나를 믿는 마음 가짐이 굳건하다면
혹여 상처가 되는 말들을 듣고 너무 힘들다면
스스로의 가치와 그 사람의 가치를 생각하면 좋겠다.
나와 나를 비난하는 사람중 누가 더 소중한지를
생각한다면 그 힘든 생각과 마음은 사라지고
무시 할 수 있는 능력이 생긴다.

모든 도전하고 실천하라.
원하는게 있다면 목표를 정해 한 계단씩 올라가라.
그들의 심판과 판단을 믿지 마라.
내가 하고자 하는것과 하고 싶은것에
추진력을 가지고 나아가라.
적어도 배움에 있어 아까워 하지 말라.
지금도 미래에도 무엇을 하며 살아갈지 확답을 줄 수는
없겠지만 모든 것이 꾸준하고 스스로를 믿는 마음이
굳건하다면 언젠가는 내가 원하는
목표에 조금은 더 가까워져 있을 것이다.
비록 나의 과거는 많이 힘들고 비관적이었지만 내가
그리는 미래에는 평범하고 행복한 삶이 존재한다.
이 책을 읽고 있는 여러분들은
원하는 꿈과 희망 혹은 목표가 존재하는가?
잘 모르겠다는 생각이 들고 내가 원하는 것이 있었나
하는 의문점이 든다면 지금 나의 모습을 비추어
스스로에게 되물어 보는 것도 또 하나의
방법이 될 수 있다.
내가 잘하고 있는지 확인하고 싶다면
원하는 그 원점을 보지 말고 제3자가 된 것처럼
또 다른 원점을 기반으로 바라보며
꿋꿋하게 앞으로 나가겠으면 좋겠다.
내가 오늘 하루도 힘 닿는 곳까지 최선을 다했고
그 최선에 대한 보상은 반드시 돌아온다는 사실을
잊은채 하루 동안 고생한 자신의 대한 자책만
늘어놓지 않았으면 좋겠다.
인생에는 정답이 없다.

내가 답이고 내가 원하는 게 곧 지혜다.
나는 나다.
남들과 비교하며 스스로를 깎아내리는 인생을
살아간다면 언젠간 그 열등감에 눌려 내가 원하는
목표도 성공도 할 수 없다는 사실을
반드시 기억해야 한다.
남들이 볼 때의 내가 아무리 초라해 보일지라도
스스로의 대한 신뢰성과 긍정적인 에너지가
스스로 존재 하지 않는다면 살아가면서 헤쳐야 하는
난관들은 헤쳐 나갈 수 있는 에너지도 스스로의 대한
믿음도 존재할 수 없기에 살아남기는 더욱 힘들 것이다.
그렇게 넘어지고 굴러 떨어지며 상처가 흉터가 되고
힘듦이 내 안에 더 강한 경험으로 남아 반드시
큰 에너지 작용을 할 것이다.
큰 에너지는 또 다시 한 걸음 앞으로 전진 할 수 있으며
두려워져 가지 못했던 그 길을 눈 딱 감고 용기내어
한 발 내딛는 순간 왜 그런 두려움을 가졌는지
스스로 되묻는 날이 분명이 올 것이다.
지금의 나는 더이상 세상이 무섭지도 과거가 발목을
잡지도 않고 나를 힘들게 했던 모든 아픔들은 완치가
되어서 새로운 삶을 위해 아주 많이 노력하고 있다.
여러분들이 겪고 있는 난관에 내 이야기가
무쪼록 도움이 되고 용기가 되길 진심으로 바란다.

5장. 적어도 당신들은

나의 모델 생활은
아픔이 끝날무렵 끝이 났다.
새로운 직업을 찾아서 취직 해야한다.
내가 하고 있던 부업을 끌고와 본업으로 해야하나
고민도 해보고 하던 미용을 다시 해야하나 고민하다
미용인이 되기로 결정했다.
요즘 나는 알바를 하며 학원에서 실무 과정을
공부하며 디자이너를 준비하고 있다.
한가지 더 덧붙이자면 검정고시도 준비하고 있다.
한가지 문제는 노트북이 고장나서 틈틈히 시간이
날때마다 피씨방에서 작업을 하고 있다는 것이다.
책을 내었을때 많은 사람들이 기대를 품고
축하를 해주었는데 중간에 반려되어 아직까지도 완품을
하지 못하고 있어서 죄송한 마음에
빠른 시일내에 준비하려고 애쓰는 중이다.
하나씩 나아져가는 나의 삶 가운데
여러분들은 어떠한가?
바쁘디 바쁜 일상 가운데 사실 책을 준비하는 것은
정말 힘든 일인 것 같다.
그래도 첫 에세이 출판이라고 나름 신경쓰고 여러번
수정하며 더 좋은 내용들을 전달하기 위해서
많이 노력하고 있다.

음...
마지막 장에서 여러분들에게 전하고픈 이야기는
적어도 당신들은 나보단 아픔을 겪는 시간이 길지
않았으면 좋겠다는 내용이다.
그게 무슨 이야기냐하면..
우선 인생에는 정답도 없고 우리는 처음 살아보는
인생이기에 많이 버거운게 당연한게 사실이지만
이런 세상에도 지금은 별 볼일 없어 보이는 인생이라도
낙담하고 자책하고 혼자 괴로워하며 슬피 울고
그렇게 하루를 보내는게 아니라 매일을 버텨가며
언제 끝날지도 모르는 이 고통이 내가 쓴 글들을 읽고
조금은 힘이 되고 용기가 되어 나보다는 좀 더 빨리
안정을 찾아가기 시작했으면 한다는 내 작은 바램이다.
언제 끝나지 싶은 그 고통도 언젠간은
끝이 난다는 사실은 확실하다.
지금 이 글을 적고 있는 나도 이런 이야기를 적어
내려가는게 한편으론 마음이 무겁다.
왜냐하면..
내가 가장 싫어했던 이야기였기 때문이다.
도대체 이 기약없는 고통과 힘듬은 언제쯤 사라지냐고
불평을 부릴때 내게 어른들은 언젠간 끝난다고 말했고
나는 도대체 그 언젠간이 언젠데요 하며 따지면
그거야 나는 모르지라는 대답이 돌아올뿐 내가 얻을 수
있었던 것은 한가지도 없었기 때문이다.
그럼에도 나는 여러분에게 하고 싶다.
언젠간 그 고비와 재앙은 멈춘다.
그게 언제인지는 확답할 수 없지만 여러분의 인생에서
반드시 그 재앙으로 인해 값진 경험치가 되어

더 큰 가치로 돌아온다는 사실은 장담할 수 있다.
앞으로의 우리의 인생엔 꽃이 피고 해가 뜨고 시원한
바람이 불며 한결같고 아름다울 수 있길 간절히 바란다.

그리고 여러분들에게 당부 하고픈 이야기가 있다.
아무리 힘들어도 혹은 아무리 바빠도 끼니는 잘 챙겨라.
지친 한 주 끝엔 꼭 쉼을 넣어둬라.
나를 위한 힐링을 만들어라.
나를 위한 힐링이라함은 작은 취미같은 지친 나를
위로할 수 있는 무언가를 말하는 것이다.
내가 말하는 이 세가지는 건강과 관련이 있는 이야기다.
내가 크게 아프고 삶의 절벽 앞까지 다녀오고
가장 뼈저리게 느낀 점이 건강 해야 한다는 것이다.
건강이 망가지면 그 무엇도 할 수 없다.
심지어 사소한 청소나 취미 같은 것들도
할 수 없어진다.
나는 아직 어리니까 건강 신경 안써도 된다는 헛튼
생각중이라면 고이접어 넣어두는게 좋을 것 같다.
어리다고 아프지 않고 어리다고 오래 살고
어리다고 건강하다는 그런 얘기는
반은 맞고 반은 틀린 이야기다.
어리면 몸은 더 빠른 속도로 망가지고 어리면 몸은 더
빠른 속도로 회복 할 수 있는 조건이
주어지기 때문이다.
이왕 태어난거 적어도 젊은 시절은 아프지 않게 하고
싶은 것들 하고 배우면서 놀고 싶을 땐 놀고 자유를
즐기면서 살아갔으면 좋겠다.
그러려면 건강은 무조건 챙겼으면 좋겠다.

스트레스도 건강과 관련이 깊기 때문에
스트레스 관리도 중요하다.
지금까지 적어내린 이야기들을 정리하자면
여러분들의 인생은 소중하다.
여러분들의 인생은 소중하기에 그 누구도
비판할 자격이 못된다.
혹여 누군가 당신의 인생을 비판한다면 그 사람과 나의
가치를 판단을 해보고 무시하는 것이 가장 현명하다.
과거는 과거일뿐..
우리는 현재를 살고 앞으로의 미래를 살아간다.
지난 과거에 멈춰 있지 않았으면 좋겠다.
여러분들의 인생의 그림은 오로지 본인만이
할 수 있는 일이다.
그렇게 그림을 그리고 원하는 방향대로 나아가다가
주저 앉고 싶고 쉬어가고 싶다면 그래도 좋다.
쉬어가며 새로운 마음가짐으로 일어설 용기를 충천해라.
그렇게 일어서 다시 힘차게 나아가다 보면 원하는
목적지에 한 발짝 더 가까워져 있을 것이다.
언제 끝날지도 모르는 재앙은 그냥 지나가는 바람일뿐..
스스로를 믿는 마음을 키워라.
내가 나를 믿는다면 세상 그 무엇도
이겨낼 수 있을 것이다.
혹여 내게 특별한 사람이 존재한다면
익숙함의 속아 소중함을 잃지 않기를 바란다.
아무리 내게 특별한 사람이라고 하더라도 그 사람도
인간이기에 우리의 곁을 언제든 떠나갈 수 있다.
부정은 줄이고 긍정을 늘려라.
습관은 사람을 만들고 좋은 성품은 사람을 만든다.

우리는 여러번 반복한 어떤 행동이 지속되면 자동으로
뇌에서 저장을 하게 된다.
그 저장 후 반복되는 행동을 우리는 습관이라고 부른다.

반대로 말하면
습관은 바꿀 수 있고 고치고 싶은 성격 혹은 행동과
생각을 반복적으로 한다면 변화할 수 있다는 것과
같은 말이다.
그러니 고치고 싶은 것 혹은 고쳐야 하는 것은
한번 생각하고 두번 생각하며 습관을 만들어 보자.
최근 나도 고치고 싶은 것들이 있어서
끊임없이 생각한다.
그렇게 하다보니 한번 생각하고 행동하고 말할 것들이
두번 생각하게 되고 세번 생각하게 되더라.
할 수 있다.
불가능이란 세상에 존재 하지 않는다.
할 수 없단 말은 하기 싫다는 말과 다름이 없는 것이다.
인생엔 정답도 없고 정해진 것들이 없어서 때로는
어렵게 느껴지기 한다.
우리는 처음 하는 것들이니까.
그러니까 할 수 있다는 것이다.
모든 처음은 어렵기 마련이고 두번째는 조금 수월해지고
세번째는 능숙해지고 네번째는 능력이 생기는 법이니까.
우리의 스스로의 인생을 위해서 최선을 다하고 있고
끊임없이 생각하고 노력하고 배워가고 있는 중이다.
그러기에 우리의 능력은 한 단계씩 성장할 수 있는
것이고 하나씩 내가 원하는 퍼즐을 끼워 맞춰 가는
것이며 앞으로 있을 우리의 인생엔 반드시 따스한

햇살과 아름다운 꽃들이 필것이다.

울고 싶은 날은 펑펑 있는 힘껏 쏟아내라.
눈물은 감정을 개워내는 장마 비 같은 것이다.
세상에서 가장 어려운 것은 스스로와의 경쟁이다.
그렇기에 스스로가 하는 위로 말은 다른 이가 해주는
위로보다 더 큰 위로가 되어주는 것이다.
오늘 하루도.
내일 하루도.
모레 하루도.
그렇게 하루,일주일,일년을 보내며
스스로의 능력도 함께 성장하길 바란다.
오늘도.
한주도.
또 다시 시작할 한주를 위해서도.
애쓰고 고생한 스스로에게 할 수 있다는 다짐과
잘했다는 위로를 던져보는 첫 걸음이 되길
작가 리시아는 여러분들의 빛나는 인생을 응원한다.